Le Noël d'AriCuiCui

Texte: Ariane Gauthier

Illustrations: Mika

Dominique et compagnie

Aujourd'hui, Ari Cui Cui a le cœur rempli de joie !
Comme chaque année,
elle va fêter Noël dans sa belle maison d'hiver.

- J'ai tellement
hâte d'arriver,
mon petit
Mamirolle
chéri !

Une fois devant la maison, Ari dépose sa valise, tout excitée, et exécute quelques pas de danse.

-Youpi! Nous sommes enfin arrivés! Et c'est toujours aussi merveilleusement joli!

Mamirolle a tout de suite reconnu la délicieuse demeure.

La porte d'entrée est une énorme barre chocolatée, et les murs sont en biscuits. **Miam...** il sent son ventre glouglouter!

Une fois à l'intérieur, Ari Cui Cui soupire de bonheur…
– Alors, par où allons-nous commencer?

Le bout du nez encore gelé, elle décide de mettre une grosse bûche dans le foyer pour se réchauffer. Soudain, elle entend chanter:

-Coucou rou coucou rou coucou!

C'est Monsieur Coucou, l'oiseau de l'horloge grand-père d'Ari.

- Coucou,
Ari Cui Cui ! dit-il.

Comme je suis heurrrreux de te rrrrevoir!
Coucou, Mamirrrrolle !

Pendant que le petit souriceau grimpe le rejoindre, Ari s'amuse à lui répondre :
– Bonjourrrrr, Monsieur Coucou, mon ami qui rrrrroucoule !
Soudain, on cogne à la porte.

– C'est sûrement mon invité ! se réjouit Ari.

– Bonjour, monsieur **le Boulanger Joyeux**!
Heureuse que vous soyez là! s'exclame la jolie cuisinière.

– Merci pour l'invitation,
Ari ! C'est toujours
un plaisir de célébrer
la tradition ! répond
le Boulanger Joyeux
d'un air enjoué.

Ari Cui Cui et ses amis décident de tout préparer pour le réveillon de Noël.

Première étape : dépoussiérer la maison.

Mamirolle court chercher le balai pendant qu'Ari Cui Cui époussette la bibliothèque en fredonnant des airs de Noël.

Une fois le ménage terminé,
la maison **étincelle**.

– **Hum!** ça sent bon la muscade et la cannelle!
C'est **extra dé-li-ci-eu-se-ment chouette**!
s'exclame *Ari Cui Cui*. Comme j'aime le temps des Fêtes!

Le Boulanger Joyeux commence
la deuxième étape : décorer le sapin.

Il y installe une **guirlande** gourmande,
des **flocons de neige** scintillants
et de petites **lanternes multicolores.**

Mamirolle,
perché sur
la plus haute branche,
installe l'étoile qui va
au sommet de l'arbre.

Ari Cui Cui est prête à entamer **la dernière étape : cuisiner le réveillon !**

– On a du pain sur la planche, les amis ! chantonne-t-elle en ouvrant le grand livre de recettes de la famille Cui Cui.

Au menu :

tourtière et ragoût,
tarte au sucre à la crème,
bûche aux marrons et…
ma recette préférée…
les bonshommes
en pain d'épices !

Pendant que le **Boulanger Joyeux**
rassemble les ingrédients,
Mamirolle enfile son tablier
et sa minitoque de cuisinier.

Cuillères de bois et rouleaux à pâte en main, les trois amis s'affairent gaiement dans la cuisine et chantent en chœur.

Mais la tour-tour-tour' la tourtière
Qu'on savoure-voure-voure tout entière...

Une fois les biscuits en pain d'épices sortis du four, Ari Cui Cui demande à Mamirolle de les saupoudrer de sucre à glacer.

Heureux de participer aux préparatifs, le souriceau fonce chercher le sac de poudre blanche et s'exécute avec entrain.

– **Oh là là! Chocolat!** Un des biscuits est devenu géant! s'étonne Ari.
Au même instant, le gros bonhomme en pain d'épices saute sur ses jambes et se met à danser! Les trois amis sont stupéfaits.
– Se peut-il que tu aies confondu mon sac de poudre magique avec le sac de sucre en poudre, mon petit biscuit? demande Ari, sourire en coin.

Mamirolle comprend aussitôt son erreur.
Il baisse la tête, l'air tristounet, désolé d'avoir tout gâché.

– Mais non, ce n'est pas grave!
le rassure-t-elle.
Ça nous fera un ami
de plus avec qui célébrer!

Le réveillon est un succès. Après la dégustation des plats cuisinés, chacun s'en donne à cœur joie au son de la musique et des chants de Noël. Ari Cui Cui est comblée. Rien ne pourrait la rendre plus heureuse que de célébrer les Fêtes en compagnie de ses amis.

– Joyeux Noël, mon petit biscuit ! lance-t-elle en s'approchant du souriceau.

Mais Mamirolle s'est endormi. Le bedon bien rond, il fait des rêves remplis de tarte au sucre et de bûche aux marrons…

Catalogage avant publication de Bibliothèque et Archives nationales du Québec et Bibliothèque et Archives Canada

Gauthier, Ariane, 1979-

Le Noël d'Ari Cui Cui

(Miam, la vie!... avec Ari Cui Cui ; 4)
Pour enfants de 3 ans et plus.

ISBN 978-2-89739-636-7
ISBN numérique 978-2-89739-757-9

I. Mika. II. Titre.

PS8613.A96N63 2016 jC843'.6
C2016-941222-9
PS9613.A96N63 2016

Directrice de collection : Françoise Robert
Directrice artistique : Marie-Josée Legault
Graphiste : Nancy Jacques
Réviseure linguistique : Valérie Quintal

Droits et permissions :
Barbara Creary
Service aux collectivités : espacepedagogique@dominiqueetcompagnie.com
Service aux lecteurs :
serviceclient@editionsheritage.com

Dépôt légal : 3e trimestre 2016
Bibliothèque et Archives nationales du Québec
Bibliothèque et Archives Canada

Dominique et compagnie
1101, avenue Victoria
Saint-Lambert (Québec) J4R 1P8
Téléphone : 514 875-0327
Télécopieur : 450 672-5448
Courriel : dominiqueetcompagnie@editionsheritage.com
www.dominiqueetcompagnie.com

Imprimé au Canada

Inspiré du personnage Ari Cui Cui, une propriété d'Ariane Gauthier, représentée par Mark Vinet Management
450 510-1102 www.aricuicui.com

Nous reconnaissons l'aide financière du gouvernement du Canada par l'entremise du Fonds du livre du Canada.

Nous reconnaissons l'aide financière du gouvernement du Québec par l'entremise du Programme de crédit d'impôt – SODEC – Programme d'aide à l'édition de livres.

Nous remercions le Conseil des arts du Canada de l'aide accordée à notre programme de publication.